RECETTES SANDWICH

Plus de 50 recettes parfaites à chaque fois pour faire
des panini

Catherine Moreau

Tous les droits sont réservés.

Avertissement

Les informations contenues dans i sont destinées à servir de collection complète de stratégies sur lesquelles l'auteur de cet eBook a effectué des recherches. Les résumés, stratégies, trucs et astuces ne sont que des recommandations de l'auteur, et la lecture de cet eBook ne garantira pas que les résultats refléteront exactement les résultats de l'auteur. L'auteur de l'eBook a fait tous les efforts raisonnables pour fournir des informations actuelles et exactes aux lecteurs de l'eBook. L'auteur et ses associés ne seront pas tenus responsables de toute erreur ou omission involontaire qui pourrait être trouvée. Le contenu de l'eBook peut inclure des informations provenant de tiers. Les documents de tiers comprennent les opinions exprimées par leurs propriétaires. En tant que tel, l'auteur de l'eBook n'assume aucune responsabilité pour tout matériel ou avis de tiers.

L'eBook est copyright © 2021 avec tous droits réservés. Il est illégal de redistribuer, copier ou créer un travail dérivé de cet eBook en tout ou en partie. Aucune partie de ce rapport ne peut être reproduite ou retransmise sous quelque forme que ce soit reproduite ou retransmise sous quelque forme que ce soit sans l'autorisation écrite expresse et signée de l'auteur.

TABLE DES MATIÈRES

INTRODUCTION

Eh bien, comme son nom l'indique, il est basé sur *Make a Meal Where the Sandwich is Plato Main*. Nous prenons donc un repas sous forme de sandwich et l'alternons avec des plats équilibrés et sains. Par conséquent, les légumes et la viande blanche ou le poisson sont disponibles pour perdre quelques kilos. N'oubliez pas qu'aucun sandwich n'est servi car nous devons choisir le pain aux graines ou le grain entier et le plus naturel possible. Alors oublions les tranchespain. De plus, le sandwich en question doit être petit et pas plus de huit pouces.

PETIT-DÉJEUNER SAIN

Combien perdez-vous au cours de la première semaine de régime?

Si les choses se passent bien, le régime sandwich peut vous faire perdre 5 livres par mois. Parce que grâce à la variété des sandwichs, vous n'aurez pas peur de préparer une collation supplémentaire. Quelque chose de basique qui nous arrive parfois lorsque nous suivons des régimes très extrêmes. Ainsi, vous pouvez perdre entre 1 livre ou 1,5 livres par semaine. Bien sûr, tous les corps ne sont pas créés égaux et il y a donc encore plus à perdre. N'oubliez pas qu'en plus du régime, vous devez boire beaucoup d'eau et bien sûr oublier les aliments précuits, les aliments frits ou les pâtisseries qui nous tentent souvent.

MENU RÉGIME SANDWICH

Petit-déjeuner

Verre de café au lait écrémé, deux tranches de pain avec de la confiture légère et un fruit. Vous pouvez alterner avec un yaourt écrémé et des fruits. Cela peut être du kiwi, de l'ananas, de la poire ou de la mandarine ainsi que des oranges.

Matin et après-midi

Vous pouvez avoir un fruit ou un yaourt nature. Mais vous pouvez également ajouter des infusions ou du café sans sucre. Si vous avez faim, vous pouvez avoir plus de fruits et même ajouter des légumes comme des carottes ou des tomates.

Aliments

C'est là que notre sandwich arrive. Toujours du pain de grains entiers ou avec des graines. Nous faisons toujours le sandwich avec des feuilles vertes comme de la laitue ou de la bette à carde et de la roquette. En plus de ces légumes, ils doivent contenir la partie de la protéine qui se présente sous forme de dinde ou de poulet. Vous pouvez choisir des tranches ou grillées. Fromage à la crème, poivrons rôtis, œuf à la coque, jambon ou même moules. Qu'est-ce que vous aimez les sandwichs Pour le dessert, vous pouvez avoir un autre fruit.

POCHES PITA À LA VIANDE HACHÉE ÉPICÉE

Portions: 4

INGRÉDIENTS

- 1 échalote
- 1 gousse d'ail
- 3 cuillères à soupe d'huile d'olive
- 250 g de bœuf haché ou d'agneau haché
- 1 cuillère à soupe de concentré de tomate
- 0,3 cuillère à café de flocons de piment
- 2 cuillères à soupe d'herbes hachées, z. B. coriandre, persil, mélisse
- sel
- Poivre noir du moulin
- 100 g de yaourt
- 0,5 cuillère à café de cumin moulu

- 1 tomate
- 4 pains pita

PRÉPARATION

Épluchez et hachez finement l'échalote et la gousse d'ail. Faites chauffer 2 cuillères à soupe d'huile dans une poêle et faites-y revenir la viande hachée jusqu'à ce qu'elle soit friable. Ajouter la pâte de tomate, l'échalote, l'ail et les flocons de piment et faire revenir 2-3 minutes. Incorporer les herbes et assaisonner la viande hachée avec du sel et du poivre.

Mélangez le yaourt avec l'huile restante, le sel et le cumin. Lavez la tomate, coupez-la en fines tranches, coupez-la en deux et égouttez-la sur du papier absorbant.

Chauffer les pains pita au four à 100 degrés (chaleur supérieure / inférieure) pendant environ 10 minutes. Remplissez de viande hachée, de yogourt au cumin et de tomates. Envelopper hermétiquement dans une feuille d'aluminium pour le transport.

Variante: Poches pita avec salade de thon et persil

Lavez la tomate, coupez-la en deux, évidez-la et coupez-la en petits dés. Nettoyez, lavez et hachez finement 1 oignon nouveau. Rincer 1 bouquet de persil, secouer et hacher finement les feuilles. Mélangez le tout avec 1 cuillère à soupe d'huile d'olive et assaisonnez avec du sel et du poivre.

Égoutter 1 boîte de thon dans l'huile (185 g de poids égoutté) dans une passoire. Étalez les poches de pita réchauffées avec 2 cuillères à soupe de mayonnaise à salade et remplissez avec la salade de persil et le thon.

MOZZARELLA & PAPRIKA SUR CIABATTA

Portions: 4

INGRÉDIENTS

- 3 poivrons rouges
- 200 g de mozzarella de bufflonne
- 1 cuillère à soupe de graines de fenouil
- 2 cuillères à soupe d'huile d'olive
- 75 g de tomates séchées dans l'huile
- sel
- 1 cuillère à soupe d'aiguilles de romarin
- 1 grosse courgette
- poivre noir du moulin
- 1 ciabatta aux olives (ou pain blanc)
- 4 tranches de jambon serrano
- quelques feuilles de basilic

PRÉPARATION

Coupez la ciabatta et coupez-la en 8 morceaux égaux. Rôtir sous le gril (ou au grille-pain) jusqu'à ce qu'ils soient dorés. Faites frire le jambon jusqu'à ce qu'il soit croustillant sans graisse supplémentaire. Badigeonner le pain avec la purée de tomates. Garnir chacun de 4 morceaux de paprika, de courgettes, de mozzarella, de jambon et de feuilles de basilic. Couvrir avec le reste du pain.

Couper le paprika en quartiers, nettoyer et rôtir sous le gril pendant environ 8 minutes avec la peau vers le haut. Couvrir d'un torchon humide pendant 10 minutes, puis peler. Coupez la mozzarella en tranches, faites mariner avec 0,5 cuillère à soupe de graines de fenouil et 2 cuillères à soupe d'huile pendant environ 30 minutes. Réduisez les tomates en purée avec 2 cuillères à soupe d'huile de tomate, les graines de fenouil restantes, un peu de sel et de romarin. Nettoyez les courgettes, coupez-les dans le sens de la longueur en fines tranches. Égouttez la mozzarella. Faites frire les courgettes et le paprika de chaque côté pendant environ 30 secondes dans 1 cuillère à soupe d'huile de marinade, assaisonnez de sel et de poivre.

SANDWICH AU BŒUF RÔTI

Portions: 8

INGRÉDIENTS

- 1 cornichon
- 0,5 pomme acidulée, par exemple Granny Smith
- 1 œuf, classe M, cuit dur
- 0,5 bouquet de ciboulette
- 1 oignon nouveau
- 100 g d'aïoli, par exemple d'Escoffier
- 100 g de crème fraîche
- sel
- poivre noir, du moulin
- 1 mini concombre
- 1 bouquet de fusée
- 8 tranches de pain grillé
- 200 g de tranches de rosbif

PRÉPARATION

Coupez les cornichons en dés. Épluchez et coupez la pomme en quartiers, retirez le cœur et coupez la pulpe en petits dés. Épluchez et hachez finement l'œuf. Coupez la ciboulette et les oignons nouveaux en rouleaux très fins.

Mélangez l'aïoli avec la crème fraîche. Incorporer le concombre et la pomme coupés en dés, l'œuf, la ciboulette et l'oignon nouveau.

Coupez le mini concombre en tranches très fines. Nettoyez la fusée, coupez les tiges. Étalez une épaisse couche de sauce tartare sur un côté de toutes les tranches de pain grillé, recouvrez-en 4 de concombre, de roquette et de rosbif, assaisonnez de sel et de poivre. Placer 1 tranche de pain grillé avec la tartinade vers le bas et couper les sandwichs en diagonale.

SANDWICH AU BŒUF RÔTI

Portions: 8

INGRÉDIENTS

- 1 cornichon
- 0,5 pomme acidulée, par exemple Granny Smith
- 1 œuf, classe M, cuit dur
- 0,5 bouquet de ciboulette
- 1 oignon nouveau
- 100 g d'aïoli, par exemple d'Escoffier
- 100 g de crème fraîche
- sel
- poivre noir, du moulin
- 1 mini concombre
- 1 bouquet de fusée
- 8 tranches de pain grillé
- 200 g de tranches de rosbif

PRÉPARATION

Coupez les cornichons en dés. Épluchez et coupez la pomme en quartiers, retirez le cœur et coupez la pulpe en petits dés. Épluchez et hachez finement l'œuf. Coupez la ciboulette et les oignons nouveaux en rouleaux très fins.

Mélangez l'aïoli avec la crème fraîche. Incorporer le concombre et la pomme coupés en dés, l'œuf, la ciboulette et l'oignon nouveau.

Coupez le mini concombre en tranches très fines. Nettoyez la fusée, coupez les tiges. Étalez une épaisse couche de sauce tartare sur un côté de toutes les tranches de pain grillé, recouvrez-en 4 de concombre, de roquette et de rosbif, assaisonnez de sel et de poivre. Placer 1 tranche de pain grillé avec la tartinade vers le bas et couper les sandwichs en diagonale.

TRAMEZZINI À LA MOUSSE À LA TRUITE ET À LA SAUCE À LA MOUTARDE ET À L'ANETH

Portions: 6

INGRÉDIENTS

- 50 g d'amandes effilées
- 100 g de filet de truite fumée
- 1/2 piment
- Zeste et 4 cuillères à soupe de jus de 1/2 citron non traité
- 50 g de crème sure
- 1/2 bouquet de ciboulette
- sel
- poivre du moulin
- 30 g de mâche

- 6 tranches de pain grillé
- 2 cuillères à soupe de moutarde
- 2 cuillères à café de cassonade
- 6 cuillères à soupe d'huile
- 6 cuillères à soupe d'aneth haché

PRÉPARATION

1. Faites griller les flocons d'amande. Cueillir le filet de truite en morceaux. Épépiner et hacher finement le piment. Ajouter le piment, le zeste de citron et 3 cuillères à soupe de jus et de crème sure au filet de truite, réduire le tout en purée. Coupez la ciboulette en rouleaux et ajoutez-la. Assaisonnez avec du sel et du poivre.

2. Nettoyez la mâche, lavez et secouez. Coupez la croûte du pain grillé. Rouler les tranches à plat avec un rouleau à pâtisserie. Mélangez la moutarde, le sucre, le jus de citron restant, l'huile et l'aneth.

3. Tartiner les tranches de pain grillé de sauce moutarde et aneth. Couvrir trois tranches de pain grillé avec la moitié de la laitue, la mousse de truite, les amandes et le reste de la laitue. Placez les tranches de pain grillé restantes sur le dessus et coupez les tramezzini en diagonale, idéalement avec un couteau électrique.

CREVETTES & AVOCAT SUR TOAST SÉSAME

Portions: 4

INGRÉDIENTS

- 800 g de crevettes sans tête ni coquille
- 1 poivron rouge
- 1 bouquet de coriandre fraîche
- 2 cuillères à soupe de curry
- sel
- 20 g de racine de gingembre
- 1-2 avocats (environ 350 g de pulpe)
- 2-3 cuillères à soupe de jus de citron vert
- 3 oeufs
- 50 ml de lait
- 8 tranches de pain grillé
- 75 g de laitue romaine

- 200 g de graines de sésame
- 8 cuillères à soupe d'huile d'olive
- Brochettes de bois

PRÉPARATION

1. Retirez l'intestin des crevettes et coupez-les en petits morceaux. Hachez grossièrement le poivron et la moitié de la coriandre. Réduisez le tout en purée grossière avec du curry et du sel. Former 4 galettes plates de la taille d'un pain grillé. Épluchez et coupez le gingembre en dés. Couper les avocats en deux, retirer le noyau, retirer la pulpe. Réduire en purée la pulpe d'avocat avec du sel et du jus de citron vert, bien couvrir. Fouettez 2 œufs avec du lait. Écorcer le toast. Nettoyez la laitue et coupez-la en fines lanières.

2. Faites frire les galettes de crevettes dans 2 cuillères à soupe d'huile pendant 2 minutes de chaque côté et gardez-les au chaud dans le four à 50 degrés. Mettez le pain grillé d'abord dans l'œuf restant, puis dans le sésame. Faire frire dans 2 casseroles dans l'huile restante de chaque côté jusqu'à ce qu'elles soient dorées. Égoutter sur du papier absorbant. Badigeonner de crème d'avodado, garnir des galettes, de la salade et du reste de coriandre. Broche avec des brochettes en bois.

BURGER FILET DE PORC ET SAUCE TOMATES

Portions: 4

INGRÉDIENTS

- 150 g de crème sure
- sel
- poivre noir du moulin
- du sucre
- 4 tiges de basilic
- 1 petite gousse d'ail
- 1 tomate beefsteak
- 1 courgette, env. 200 g chacun
- 4 cuillères à soupe d'huile d'olive
- 4 médaillons de filet de porc env. 100 g chacun
- 4 tranches de pain au feu de bois, épaisses
- 75 g de salami de fenouil, tranché finement

PRÉPARATION

Mélangez la crème sure, le sel, le poivre et une pincée de sucre. Cueillir les feuilles de basilic des tiges et les hacher finement. Épluchez et pressez l'ail. Incorporer le basilic et la moitié de l'ail à la crème sure. Retirez la tige de la tomate, coupez la tomate en petits dés et incorporez-la à la crème sure.

Les courgettes brossez et coupez longitudinalement en fines tranches. Faites chauffer 2 cuillères à soupe d'huile dans une poêle, faites revenir les courgettes vigoureusement à feu moyen en les retournant et assaisonnez avec du sel, du poivre et le reste de l'ail. Retirer de la poêle et réserver.

Faites chauffer 2 cuillères à soupe d'huile dans la poêle, faites revenir les médaillons des deux côtés à feu vif. Assaisonner et faire frire pendant env. 5 minutes à feu moyen en tournant.

Coupez les tranches de pain en deux, faites-les griller légèrement dans une poêle sans matière grasse ou au grille-pain. Couper les médaillons en tranches de 5 mm d'épaisseur. Badigeonner la moitié du pain de crème sure, alterner avec les courgettes, les tranches de filet, le salami et les courgettes. Terminez avec les tranches de pain restantes. Utilisez le reste de la crème sure pour tremper.

TRAMEZZINI AVEC FILET DE MANGUE ET DE POITRINE DE POULET

Portions: 6

INGRÉDIENTS

- 1 morceau de gingembre de la taille d'une noix
- 1/2 bouquet de coriandre
- 125 g de crème sure
- 1 à 2 cuillères à café de curry
- sel
- 2 petites mangues mûres
- 20 g de noix de cajou
- 50 g de salade frisée
- 6 tranches de pain grillé
- 6 tranches de poitrine de poulet fumée

PRÉPARATION

1. Épluchez et râpez le gingembre. Hachez la coriandre. Mélanger avec la crème sure, le curry et le sel. Épluchez les mangues. Coupez la pulpe de la pierre en fines tranches. Hachez les noix de cajou, faites-les griller. Lavez la salade Frisée, séchez-la. Coupez la croûte du pain grillé. Rouler le pain grillé à plat avec un rouleau à pâtisserie.

2. Badigeonner les tranches de pain grillé de crème sure au curry. Répartir à nouveau la laitue, les tranches de mangue, les noix de cajou, la poitrine de poulet et la laitue sur trois tranches. Ensuite, placez les tranches de pain grillé restantes sur le dessus, appuyez et coupez les tramezzini en diagonale.

CLUB SANDWICH AVEC LA TURQUIE

Portions: 6

INGRÉDIENTS

- 8 fines lanières de bacon
- 4 tomates de taille moyenne
- 400 g de poitrine de dinde fumée
- 9 tranches de pain grillé pour un sandwich américain
- 3 œufs (classe L), cuits durs
- 50 g de mayonnaise
- 40 g de moutarde
- 100 g de laitue iceberg

PRÉPARATION

1. Faites frire le bacon jusqu'à ce qu'il soit croustillant. Lavez les tomates et coupez-les en tranches de 1 cm d'épaisseur. Coupez la poitrine de dinde en tranches de 1/2 cm d'épaisseur.

2. Si nécessaire, rôtissez des tranches de pain grillé sous le gril des deux côtés. Coupez les œufs en fines tranches.

3. Badigeonner trois tranches de pain grillé chacune avec de la mayonnaise et de la moutarde. Superposez une feuille de laitue sur le pain grillé à la moutarde, les tomates et enfin une tranche de poitrine de dinde. Mettez une tranche de pain grillé pure. Badigeonner le dessus de moutarde. Empilez la laitue iceberg, les tranches d'œuf, le bacon et la poitrine de dinde. Terminer avec le pain grillé à la mayonnaise, côté enduit vers le bas.

4. Presser les sandwichs ensemble avec une légère pression vers le bas. Utilisez un couteau bien aiguisé pour le couper en quatre en diagonale (d'une pointe à l'autre) et épinglez-le avec des cure-dents si nécessaire. Disposer sur un plateau.

SANDWICH DE SALTIMBOCCA AU PARMESAN ET TOMATES

Portions: 10

INGRÉDIENTS

- 5 escalopes de veau minces, env. 100 g chacun
- 1 gousse d'ail
- 4 cuillères à soupe d'huile
- sel
- poivre du moulin
- 1 pot de basilic
- 200 g de fromage à la crème de yogourt
- 3 cuillères à soupe de parmesan râpé
- 400 g de tomates en bouteille
- 5 tranches de jambon de Parme
- 10 tranches de pain grillé

PRÉPARATION

1. Coupez le schnitzel en deux sur la largeur. Épluchez et hachez l'ail. Faites chauffer l'huile, faites frire les schnitzel en portions pendant 1 minute de chaque côté, assaisonnez de sel, poivre et laissez refroidir sur du papier absorbant.

2. Cueillez le basilic. Hacher finement la moitié des feuilles et mélanger avec le fromage à la crème, le parmesan, l'ail, un peu de sel et de poivre. Lavez, nettoyez et coupez les tomates en tranches.

3. Coupez le jambon en deux sur la largeur. Tartiner du fromage à la crème sur du pain grillé. Couvrir la moitié des tranches de pain grillé de schnitzel, jambon, tomates et basilic. Placez les tranches de pain grillé restantes avec le côté enduit vers le bas et appuyez dessus. Envelopper les sandwichs individuellement dans un film plastique et réfrigérer pendant environ 3 heures. Couper en deux dans le papier d'aluminium avec un couteau bien aiguisé et servir dans des boîtes.

BAGELS AU FROMAGE À LA CRÈME

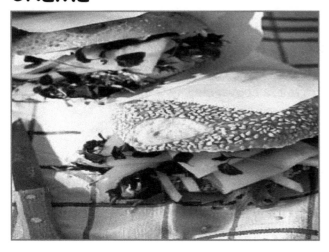

Portions: 8

INGRÉDIENTS

- 400 g de fromage à la crème double
- 6 cuillères à café de raifort
- sel
- 1 mangue
- 2 poivrons jaunes
- 8 feuilles de salade frisée
- 2 lits de cresson rouge (ou 2 lits de cresson)
- 8 bagels au sésame

PRÉPARATION

1. Mélangez le fromage à la crème avec le raifort et le sel. Épluchez la mangue, retirez le noyau et coupez la

mangue en fines tranches. Nettoyez, lavez et coupez les poivrons en lanières. Lavez les feuilles de Frisée et séchez-les. Coupez le cresson du lit.

2. Coupez les bagels en deux sur la largeur. Badigeonner les deux côtés de fromage à la crème. Couvrir la moitié inférieure avec la mangue, le paprika, la frisée et le cresson. Mettez le couvercle.

ROULEAUX DE BAGUETTE À LA CRÈME DE MAQUEREAU

Portions: 4

INGRÉDIENTS

- 300 g de filet de maquereau fumé
- 2-3 cuillères à soupe de crème de salade avec du yaourt
- 1-2 cuillères à café de jus de citron
- 1/2 bouquet d'aneth
- 1 cuillère à café de grains de poivre vert marinés
- sel
- 4 petits rouleaux de baguette
- 2 tomates beefsteak
- 4-5 feuilles de roquette
- 4-5 feuilles de pissenlit (ou d'endive)

PRÉPARATION

Détachez le filet de maquereau de la peau, retirez soigneusement les os restants. Hachez le filet avec une fourchette ou un mixeur plongeant. Incorporer la crème de salade et le jus de citron. Hachez l'aneth. Égouttez les grains de poivre, hachez-les grossièrement. Incorporer l'aneth et le poivre à la crème de maquereau, assaisonner la crème avec du sel.

Coupez les rouleaux horizontalement et étalez la crème des deux côtés. Nettoyez les tomates, coupez-les en tranches. Nettoyez la roquette et le pissenlit. Répartir avec les tomates sur le pain baguette. Pliez les moitiés de pain ensemble.

TRAMEZZINI AU FROMAGE DE CHÈVRE FRAIS, DATTES ET FRAISES

Portions: 6

INGRÉDIENTS

- 6 thalers de fromage de chèvre frais, par exemple B. Picandou
- 60 g de dattes fraîches (ou séchées)
- 1 citron vert non traité
- 1 gousse d'ail
- 5 tiges de mélisse
- poivre de Cayenne
- sel
- 20 g de pignons de pin
- 80 g de fraises

- 6 feuilles de laitue frisée de chêne clair
- 6 tranches de pain grillé

PRÉPARATION

1. Mettez le fromage de chèvre dans un bol. Noyauz les dattes et coupez la pulpe en petits dés. Lavez la chaux, séchez et frottez la peau. Pressez le jus d'un demi citron vert. Épluchez et hachez l'ail. Lavez et hachez finement la mélisse. Ajouter les dattes, le jus de lime, le zeste, l'ail, la mélisse, le poivre de Cayenne et le sel au fromage de chèvre et remuer jusqu'à consistance crémeuse.

2. Faites griller les pignons de pin jusqu'à ce qu'ils soient dorés. Nettoyez, lavez et coupez les fraises en tranches. Nettoyez la laitue, lavez-la et cueillez-la en morceaux. Coupez la croûte du pain grillé. Rouler les tranches à plat avec un rouleau à pâtisserie.

3. Badigeonner toutes les tranches de pain grillé de fromage de chèvre aux dattes. Saupoudrer trois tranches de pignons de pin et garnir de laitue et de fraises. Placez les tranches de pain grillé restantes sur le dessus, appuyez dessus. Coupez les tramezzini en diagonale.

BOULES DE VIANDE AUX ARACHIDES ET SANDWICH À L'AVOCAT

Portions: 2

INGRÉDIENTS

- 1 piment rouge
- 2 cuillères à soupe d'arachides grillées
- 5-6 feuilles de menthe
- 1 échalote
- 225 g de viande hachée mélangée
- 2 cuillères à café de curry doux
- sel
- 2 cuillères à soupe d'huile
- 1/2 avocat mûr
- 3 cuillères à soupe de jus de citron

- 2 tranches de pain de mie
- 1/4 de laitue romaine
- 50 g de crème de salade
- 1 petite gousse d'ail
- Tabasco
- 20 g de parmesan
- 2-3 tomates de vigne

PRÉPARATION

1. Nettoyez le piment et coupez-le en petits dés. Hachez les cacahuètes en petits morceaux. Hachez finement la menthe. Couper l'échalote en petits dés. Mélangez bien le tout avec le hachis, le curry et le sel. Façonnez le mélange de viande en quatre boulettes de viande. Faire frire dans l'huile chaude à feu moyen pendant 3 minutes de chaque côté jusqu'à ce qu'elles soient dorées.

2. Épluchez l'avocat et coupez-le en gros morceaux. Ajouter 1 cuillère à soupe de jus de citron et de sel et écraser finement à la fourchette. Couvrir les tranches de sandwich avec des feuilles de laitue coupées convenablement, badigeonner de crème d'avocat, couper en deux et envelopper de film plastique.

3. Mélanger la mayonnaise avec le reste du jus de citron, l'ail, le tabasco et le sel et verser dans un récipient hermétique. Trancher le parmesan, le mettre dans une boîte avec le reste de laitue et arroser de vinaigrette juste avant de manger. Emportez également les sandwichs, les boulettes de viande et les tomates.

TRAMEZZINI AU SAUMON ET CAROTTES

Portions: 8

INGRÉDIENTS

- 100 g de carottes
- 2 bouquet de coriandre
- 1 morceau de gingembre de la taille d'une noix
- 1 gousse d'ail
- 1 citron vert non traité
- 150 g de saumon fumé en tranches très fines
- 8 tranches de pain grillé
- 80 ml de sauce chili douce et piquante (de la boutique asiatique)

PRÉPARATION

1. Peler, laver, sécher et trancher les carottes. Lavez la coriandre, séchez-la et retirez les feuilles. Épluchez et râpez le gingembre. Épluchez et coupez finement l'ail en petits dés. Lavez le citron vert, séchez-le et frottez finement la peau. Couper le citron vert en deux et presser le jus. Coupez le saumon en longues lanières de 4 cm de large. Mélangez le saumon avec le gingembre, l'ail, le jus et le zeste de citron vert et la coriandre.

2. Coupez la croûte du pain grillé. Rouler chaque tranche à plat avec un rouleau à pâtisserie. Étalez une fine couche de sauce chili sur toutes les tranches de pain grillé. Couvrir ensuite quatre tranches avec la moitié de la coriandre, le saumon, tranchécarottes, le reste de la sauce chili et la coriandre restante. Placez les tranches de pain grillé enrobées restantes sur le dessus et appuyez légèrement. Coupez les tramezzini en diagonale avec un couteau électrique et décorez avec des tranches de carottes et des feuilles de coriandre au goût.

SALADE DE PORC ET CHOU RÔTI

Portions: 8

INGRÉDIENTS

- 1,5 kg de poitrine de porc avec couenne
- sel
- 1,5 cuillère à soupe de graines de carvi
- 400 g de chou blanc
- 3 cuillères à soupe de vinaigre de cidre de pomme
- 4 l d'huile végétale
- poivre blanc du moulin
- 6 cuillères à soupe de moutarde douce
- 4 cuillères à soupe de raifort à la crème
- 8 rouleaux de seigle
- 1 bouquet de ciboulette en rouleaux

- quelques feuilles de laitue

PRÉPARATION

1. Préchauffez le four à 230 degrés. Marquez la croûte en forme de diamant. Versez dessus 1 litre d'eau bouillante. Frottez le rôti avec 1 cuillère à soupe de sel et de graines de carvi. Faites glisser une lèchefrite remplie d'eau sur la rampe inférieure du four. Placez une grille sur la lèchefrite. Déposer le rôti sur le dessus avec la croûte tournée vers le bas et cuire 1 heure, retourner après 30 minutes. Tournez le four à 180 degrés et faites cuire le rôti pendant encore 2 heures, en ajoutant de l'eau si nécessaire.

2. Tranchez finement le chou blanc. Pétrissez bien avec un peu de sel. Après 30 minutes, incorporer les graines de carvi restantes, le vinaigre, l'huile et le poivre. Mélangez la moutarde et le raifort. Couper le rouleau en deux et badigeonner de raifort moutarde. Coupez le rôti en tranches et placez-le sur les moitiés inférieures du pain. Servir avec de la ciboulette, du chou blanc et de la laitue, déposer les moitiés supérieures sur le dessus. Le hamburger a également bon goût avec de la viande rôtie achetée.

SANDWICH AU BŒUF RÔTI

Portions: 4

INGRÉDIENTS

- 80 g de cœurs d'artichaut à l'huile
- 2 tomates
- 4 galettes de pain Vinschgau
- Pain ciabatta)
- 50 g de beurre aux herbes
- 250 g de rosbif cuit
- 8 cuillères à soupe de sauce (de la veille)
- 2 tiges de basilic
- sel
- poivre noir du moulin

PRÉPARATION

1. Égouttez les artichauts et coupez les tomates en tranches. Faites cuire le pain au four. Découpez une

poche dans chaque pain plat. Badigeonner de beurre aux herbes. Coupez le rosbif en fines tranches. Réchauffez légèrement la sauce. Cueillez les feuilles de basilic.

2. Garnir le pain de tomates, artichauts, rosbif et basilic, assaisonner de sel et de poivre. Étalez la sauce sur le dessus.

ROULEAUX DE BAGUETTE AUX TOMATES FUSÉE ET CERISES

Portions: 8

INGRÉDIENTS

- 200 g de roquette
- 200 g de fromage blanc
- sel
- poivre du moulin
- 200 g de tomates cerises
- 200 g de mini boules de mozzarella
- 4 cuillères à soupe d'huile d'olive
- 10 petits pains de baguette
- 5 cuillères à soupe de parmesan râpé

Également:

- 10 brochettes en bois

PRÉPARATION

1. Nettoyez, lavez et essorez la fusée. Hachez la moitié de la roquette, mélangez avec le fromage blanc, un peu de sel et de poivre. Laver les tomates cerises et les éponger, égoutter les boules de mozzarella. Collez les deux en alternance sur des brochettes en bois. Saler et poivrer, arroser d'huile d'olive.

2. Coupez le dessus du pain baguette (comme un pain à hot-dog). Badigeonner l'intérieur avec le quark de roquette, répartir le reste de roquette sur les rouleaux, mettre les brochettes, saupoudrer de parmesan et de poivre. Transport enveloppé de parchemin.

SANDWICH AUX LÉGUMES

Portions: 4

INGRÉDIENTS

- 30 g de graines de sésame
- 400 g de fromage à la crème
- sel
- poivre de Cayenne
- 8 tranches de sandwich aux grains entiers
- 100 g de feuilles d'épinards sans défaut
- 250 g de clémentines
- 350 g de carottes
- 600 g de fenouil
- 4 cuillères à soupe de jus de citron
- 2 cuillères à soupe d'huile d'olive
- 2 lits de cresson

PRÉPARATION

1. Faites griller les graines de sésame. Mélangez-en 2/3 avec le fromage à la crème, le sel et le poivre de Cayenne jusqu'à consistance lisse. Badigeonner les tranches de pain avec.

2. Lavez, nettoyez et égouttez les feuilles d'épinards, épluchez la clémentine et coupez-la en deux dans le sens de la longueur. Nettoyez les carottes et le fenouil et râpez grossièrement séparément. Hachez finement les feuilles de fenouil et mélangez avec le fenouil. Mélangez chacun avec 2 cuillères à soupe de jus de citron, 1 cuillère à soupe d'huile d'olive, le sel et le poivre de Cayenne.

3. Couvrez d'abord 4 tranches de pain d'épinards. Superposez les carottes, les clémentines, le sésame restant, le fenouil et le cresson sur le dessus. Terminez avec les tranches de pain restantes. Enveloppez fermement les sandwichs dans un film plastique et laissez-les reposer pendant 2 heures. Déballez et coupez en triangles en diagonale. Envelopper dans des serviettes et disposer dans des bols prêts à la main avec la surface coupée vers le haut.

BURGER DE POULET AUX POMMES ET BASILIC SALSA

Portions: 4

INGRÉDIENTS

- 4 petits filets de poitrine de poulet env. 100 g chacun
- sel
- poivre noir du moulin
- 2 cuillères à soupe d'huile d'olive
- 1 cuillère à soupe de beurre
- 1 grosse pomme acidulée
- Jus et zeste râpé d'un citron bio
- piment grossièrement moulu
- du sucre
- 2 tiges de basilic
- 4 petits pains d'avoine

- 4-6 cuillères à soupe de mayonnaise à salade
- 4 feuilles de laitue romaine

PRÉPARATION

Salez et poivrez le poulet. Faites chauffer l'huile et le beurre dans une poêle. Faites-y revenir les filets de poulet à feu moyen pendant 8 à 10 minutes, en les retournant jusqu'à ce qu'ils soient dorés. Envelopper les filets de papier d'aluminium et réserver.

Peler et épépiner la pomme et la couper en dés très finement. Mélanger avec 2 cuillères à soupe de jus de citron, 1 pincée de zeste de citron et 1 pincée de piment. Ajoutez du sucre au goût. Cueillir les feuilles de basilic des tiges et les couper en très fines lanières. Mélangez avec les cubes de pomme.

Coupez les rouleaux ouverts. Mélangez la mayonnaise avec du sel, du poivre, 1 cuillère à café de zeste de citron et 1 pincée de piment. Coupez les feuilles de laitue sur la largeur en lanières. Coupez le filet de poulet en tranches. Badigeonner les moitiés inférieures du pain avec la mayonnaise et garnir des tranches de poulet, de la salsa aux pommes et basilic et des lanières de laitue. Terminez avec les hauts de pain.

BAGUETTE ESPAGNOLE AUX AMANDES ET POIVRONS

Portions: 10

INGRÉDIENTS

- 3 poivrons rouges et 3 poivrons jaunes chacun
- 50 g d'amandes hachées
- 50 g d'olives noires sans noyaux
- 1 bouquet de persil plat
- 100 g de beurre
- 2 cuillères à soupe de pâte de paprika (ajvar)
- sel
- poivre du moulin
- 10 petits pains de baguette
- 10 tranches de fromage Manchego

Également:

- petites brochettes

PRÉPARATION

1. les poivrons sont propres, lavés et coupés en quartiers. Placer sur une plaque à pâtisserie, côté peau vers le haut. Griller sous le gril préchauffé jusqu'à ce que la peau devienne noire et boursouflée. Mettez les poivrons dans un sac de congélation et laissez reposer 10 minutes.

2. Faites rôtir les amandes dans une poêle sans matière grasse. Coupez les olives en dés. Cueillir le persil et hacher la moitié. Mélanger le beurre mou et la pâte de paprika et incorporer le reste des ingrédients. Sel et poivre.

3. Peler les poivrons. Coupez le chignon en deux. Badigeonner l'intérieur de beurre. Couvrir le fond de paprika, de fromage et des feuilles de persil restantes. Placez les sommets sur le dessus et fixez-les avec des brochettes. Transport dans des sacs en parchemin.

POIS CHICHES, CURRY ET OEUF FRIT

Portions: 4

INGRÉDIENTS

- 175 g de pois chiches en conserve
- 2 oignons rouges
- 125 g de tomates cerises
- 3 cuillères à soupe d'huile d'olive
- 1 cuillère à soupe de curry doux
- 1 cuillère à café de cumin noir (alternativement
- 1/2 cuillère à café de poivre noir, moulu grossièrement)
- 1/2 cuillère à café de flocons de piment
- 2 cuillères à soupe de jus de citron
- sel
- 4-5 feuilles de menthe

- 1/2 bouquet de persil plat
- 200 g de yogourt à la crème grecque
- 1 pain plat
- 4 œufs

PRÉPARATION

Battre le yogourt jusqu'à consistance lisse. Coupez le pain plat et coupez-le en 8 morceaux égaux. Rôtir (ou griller) le pain sous le gril jusqu'à ce qu'il soit doré. Faites frire les œufs dans l'huile restante sous forme d'œufs au plat dans une poêle antiadhésive, puis salez légèrement. Badigeonner toutes les moitiés du pain avec le yogourt. Placez le mélange de pois chiches et les œufs au plat sur les moitiés inférieures. Placez les moitiés supérieures du pain sur le dessus et servez.

Égouttez les pois chiches dans une passoire. Épluchez et coupez grossièrement les oignons. Couper en deux et épépiner les tomates. Faites braiser les oignons vigoureusement dans 2 cuillères à soupe d'huile d'olive chaude. Faire revenir brièvement le curry, le cumin noir et les flocons de piment. Ajouter les pois chiches, les tomates et le jus de citron, assaisonner de sel et cuire environ 5 à 6 minutes. Hachez finement la menthe. Hachez grossièrement le persil. Ajouter aux oignons avec la menthe.

PITTA AU STEAK

Portions: 4

INGRÉDIENTS

- 1 bouquet de persil plat
- 1 bouquet de menthe
- 200 ml de crème fraîche
- 3 cuillères à café de cumin moulu (cumin)
- 1 cuillère à soupe de poudre de paprika doux
- 4 pains pita
- 3 rumstecks de bœuf de 140 g chacun
- poivre du moulin

PRÉPARATION

1. Préchauffez le four à 200 degrés (convection 180 degrés). Rincer le persil et la menthe et secouer. Cueillir les feuilles. Mélangez la crème fraîche avec le cumin et le paprika, assaisonnez de sel.

2. Placer les pains pita au four sur une grille et cuire 5 minutes. Assaisonnez la viande des deux côtés avec du sel et du poivre. Faites chauffer l'huile dans une grande poêle. Faites frire les steaks très chauds pendant 2 minutes des deux côtés. Placer sur une planche et couper en lanières.

3. Sortez le pain du four. Remplissez avec les herbes, la viande et la crème et servez aussitôt.

SANDWICH À LA SALADE AUX OEUFS

Portions: 4

INGRÉDIENTS

- 4 œufs
- 80 g de céleri
- 2 cornichons
- 1/2 bouquet de ciboulette
- 1/2 bouquet de persil plat
- 1 petite pomme aigre (par exemple Boscop)
- 75 g de crème sure
- 75 g de mayonnaise fraîche
- 1 1/2 cuillère à café de moutarde
- sel
- poivre
- 1 pincée de sucre

- 8 feuilles de laitue
- 8 tranches de pain grillé

PRÉPARATION

1. Œufs durs à la coque. Trempez et laissez refroidir. Puis dés. Nettoyez et lavez le céleri et coupez-le en fines tranches. Coupez le concombre en dés. Lavez les herbes. Coupez la ciboulette en rouleaux. Hachez finement le persil. Huitièmement, évider et couper la pomme en fines tranches.

2. Mélangez les cubes d'œufs, le concombre, les herbes, la crème sure, la mayonnaise, la moutarde, le sel, le poivre et le sucre. Lavez et tamponnez les feuilles de laitue. Couvrir 4 tranches de sandwich d'une feuille de laitue chacune. Répartir la salade aux œufs, les tranches de pomme et le céleri sur le dessus. Déposer la feuille de laitue dessus, puis recouvrir d'une tranche de sandwich. Couper en diagonale et disposer.

CLUB SANDWICH AVEC OEUF

Portions: 2

INGRÉDIENTS

- 6 tranches de pain grillé
- Beurre pour le brossage
- 2 2 petits filets de poitrine de poulet
- 1 grosse tomate beefsteak
- 1 œuf dur
- 4 feuilles de laitue iceberg
- 4 fines tranches de bacon, (bacon déjeuner)
- 2 cuillères à soupe de mayonnaise
- 3 cuillères à soupe de yaourt
- sel
- poivre noir du moulin
- 2 cuillères à café de jus de citron
- aussi: brochettes en bois

PRÉPARATION

1. Faites griller le pain grillé jusqu'à ce qu'il soit doré. Tartiner finement de beurre. Retirez le poulet au citron des os et coupez la viande en tranches. Rincer la tomate et essuyer. Coupez la tomate en tranches. Épluchez l'œuf et coupez-le en fines tranches. Rincez la laitue iceberg, séchez-la et plumez-la en petits morceaux. Faites frire le bacon dans une poêle sans gras jusqu'à ce qu'il soit croustillant. Égoutter sur du papier absorbant.

2. Mélangez la mayonnaise et le yogourt ensemble. Assaisonner au goût avec du poivre, du sel et du jus de citron.

3. Couvrir 2 tranches de pain grillé de tomate et de laitue iceberg. Couvrir d'une tranche de pain grillé supplémentaire à chaque fois. Répartir le poulet, le bacon croustillant et les tranches d'oeuf sur le dessus. Versez la mayonnaise sur le dessus et terminez avec les tranches de pain grillé restantes. Fixez avec les brochettes en bois, disposez sur des assiettes et servez aussitôt.

SANDWICHES À LA CRÈME DE HORSERADISH ET RÔTI

Portions: 12

INGRÉDIENTS

- 30 g de racine de raifort
- 200 g de fromage à la crème de yogourt
- le zeste râpé de 1/2 citron non traité
- 2 cuillères à café de jus de citron
- sel
- poivre du moulin
- 4 cornichons
- 4 tomates mûres en bouteille
- 6 grandes feuilles de laitue
- 12 tranches de graines de tournesol foncées ou de pain complet (carré)
- 200 g de charcuterie de porc rôti

PRÉPARATION

1. Épluchez le raifort et râpez-le finement, mélangez immédiatement avec le fromage à la crème, le zeste de citron et le jus de citron. Assaisonner au goût avec du sel et du poivre. Coupez le concombre en fines tranches. Nettoyez les tomates et coupez-les en fines tranches. Lavez les feuilles de laitue et séchez-les.

2. Badigeonnez les tranches de pain avec la crème de raifort. Couvrir 6 tranches de laitue. Placer les tranches de rôti sur le dessus. Couvrir généreusement de tomates et de tranches de cornichon. Placez les 6 tranches de pain restantes sur le dessus avec le côté enduit vers le bas et appuyez fermement. Coupez les sandwichs en deux, enveloppez-les bien dans du film plastique et alourdissez-les avec une planche et mettez au réfrigérateur. Transport dans des boîtes de conservation des aliments.

TRAMEZZINI AVEC AVOCAT ET FIGUES

Portions: 8

INGRÉDIENTS

- 1 avocat mûr
- Jus et zeste de 1/2 citron vert non traité
- 1 cuillère à café de miel
- sel
- 4 tiges de mélisse
- 3 figues fraîches
- 1/2 grenade
- 150 g de fromage Manchego
- 8 feuilles de laitue frisée de chêne clair
- 8 tranches de pain grillé

PRÉPARATION

1. Épluchez et coupez l'avocat en deux. Retirez la pierre, hachez la pulpe. Réduisez en purée avec du jus de citron vert, du zeste, du miel et du sel. Cueillir les feuilles de mélisse, hacher, incorporer.

2. Coupez les figues en quartiers. Retirez les graines de grenade. Trancher le fromage. Lavez la laitue. Coupez la croûte du pain grillé. Rouler les tranches à plat avec le rouleau à pâtisserie.

3. Badigeonner le pain grillé de purée d'avocat. Couvrir quatre tranches de pain grillé avec la moitié des figues, la laitue, le fromage, les graines de grenade et les figues restantes. Placez le pain grillé restant sur le dessus et coupez les tramezzini en diagonale.

PÂTES AU FROMAGE ET AUX LÉGUMES

Portions: 8

INGRÉDIENTS

- 200 g de paprika, couleurs variées
- 2 cuillères à soupe d'huile
- sel
- poivre
- 1 bouquet de ciboulette
- 100 g de fromage à la crème double
- 100 g de fromage blanc
- 8 tranches de pain croustillant
- 8 tranches d'Emmentaler
- 1/2 concombre

PRÉPARATION

Nettoyez, lavez et coupez finement les poivrons. Faire sauter dans l'huile pendant 2-3 minutes, assaisonner de sel et de poivre et laisser refroidir. Coupez la ciboulette en petits rouleaux. Mélanger le fromage frais et le fromage blanc, ajouter le paprika et la ciboulette, assaisonner de sel et de poivre. Faire griller brièvement le pain et badigeonner de crème. Répartissez le fromage sur 4 tranches. Lavez le concombre, coupez-le en fines tranches et déposez-le sur le fromage. Couvrir avec les tranches restantes, couper en deux et bien envelopper dans du papier d'aluminium pour le transport.

SANDWICH CHUTNEY CHEDDAR ET MANGUE

Portions: 6

INGRÉDIENTS

- 80 grammes de bacon
- 8 feuilles de laitue
- 1 petit concombre
- 4 tiges de menthe
- 1 grosse nectarine mûre
- 150 g de chutney de mangue
- 150 g de cheddar (ou Emmentaler)
- 8 tranches de tomates en sandwich
- 80 g de beurre

PRÉPARATION

1. Coupez le bacon en fines lanières et faites-les frire dans une poêle jusqu'à ce qu'il soit croustillant. Lavez les feuilles de laitue et séchez-les. Lavez le concombre et coupez-le en très fines tranches. Lavez la menthe, cueillez les feuilles et coupez-la en fines lanières. Coupez la nectarine en deux, retirez le noyau et coupez la pulpe en quartiers. Mélangez les nectarines avec le chutney de mangue.

2. Trancher finement le cheddar. Étalez une fine couche de beurre sur les tranches de sandwich. Étalez de la laitue, du fromage, des tranches de concombre, des quartiers de nectarine et du bacon sur 4 tranches de pain grillé. Versez le reste de laitue dessus et terminez par une tranche de pain grillé. Ensuite, coupez-les tous en diagonale et servez.

CLUB SANDWICH

Portions: 1

INGRÉDIENTS

- 1 œuf, Kl. M, très frais
- 160 ml d'huile de germe
- Jus de 0,5 citron
- 1 filet de poitrine de poulet, petit
- sel
- poivre noir du moulin
- 4 tranches de bacon, en fines tranches
- 3 tranches de pain grillé
- 1 tomate beefsteak, grosse
- 2 feuilles de laitue, grandes
- 4 cueilleurs de cocktails

PRÉPARATION

Pour les cuisiniers expérimentés: Battez l'œuf dans un bol. Versez 150 ml d'huile de germe dans l'œuf en un filet très fin avec un fouet, en remuant constamment, et fouettez jusqu'à obtenir une mayonnaise épaisse.

Et pour les débutants: mettez l'œuf avec 150 ml d'huile dans un grand bol à mélanger et battez avec le mélangeur à main jusqu'à ce que la mayonnaise épaisse se forme. Assaisonner au goût avec du jus de citron. Astuce: pour la mayonnaise maison, les œufs doivent être aussi frais que possible.

Assaisonnez le poulet avec du sel et du poivre. Chauffer 1 cuillère à soupe d'huile dans une poêle et faire revenir le filet à feu moyen pendant 8 à 10 minutes en le retournant. Transférer dans une assiette et réserver. Faites frire le bacon dans la graisse de friture à feu moyen pendant environ 2 minutes des deux côtés jusqu'à ce qu'il soit croustillant et doré. Égoutter sur du papier absorbant.

Toast toast au bronzage désiré. Pendant ce temps, coupez la tomate en tranches dans le sens de la largeur. Coupez également le filet de poitrine de poulet en diagonale en tranches. Placez toutes les tranches de pain grillé les unes sur les autres et coupez la croûte tout autour. Étaler la mayonnaise sur 2 toasts, garnir d'un peu de laitue et de 2 tranches de tomate et de bacon chacune, puis de 3 tranches de poitrine de poulet. Mettez-les les uns sur les autres et terminez par le troisième pain grillé. Pressez le club sandwich très légèrement et coupez-le en diagonale avec un grand couteau. Épinglez chaque moitié avec 2 cueilleurs de cocktails. La recette originale du club sandwich de New York est aussi simple que cela!

SANDWICH AU JAMBON

Portions: 6

INGRÉDIENTS

- 6 feuilles de laitue romaine
- 200 g de tomates
- 60 g de racine de raifort
- 12 tranches de bacon
- 12 tranches de pain grillé
- 50 g de mayonnaise
- 4 cuillères à soupe de moutarde
- 6 tranches de jambon cuit

PRÉPARATION

1. Lavez la laitue, cueillez-la en gros morceaux. Coupez les tomates en tranches de 1 cm d'épaisseur. Lavez, épluchez et râpez finement le raifort. Laissez le bacon dans une casserole.

2. Tartinez 6 tranches de pain grillé de mayonnaise, 6 de moutarde. Saupoudrer toutes les tranches de raifort. Répartissez d'abord les feuilles de laitue, puis les tranches de tomate et de bacon et le jambon cuit sur 6 tranches. Couvrir avec les tranches de pain restantes. Fixez avec des cure-dents et coupez en deux en diagonale. Enveloppez fermement les sandwichs dans un film plastique.

WEASEL SANDWICH

Portions: 12

INGRÉDIENTS

- 500 g de filets de poitrine de poulet
- sel
- poivre
- 2 cuillères à soupe d'huile
- 2 poivrons rouges (400 g)
- 1 tête de salade lollo rosso
- 6 méga hamburgers américains (par exemple de Golden Toast)
- 100 g de beurre d'arachide salé
- 100 g de noix de cajou grillées
- 12 brochettes en bois
- 12 tomates cerises
- 1 petit tube de mayonnaise
- 12 grains de poivre noir

PRÉPARATION

1. Assaisonnez les filets de poitrine de poulet avec du sel et du poivre. Faites chauffer l'huile dans une poêle, faites revenir la poitrine de poulet pendant env. 3 minutes de chaque côté, continuer à faire frire pendant env. 10 minutes à feu doux.

2. Nettoyez les poivrons et coupez-les en fines lanières. Lavez la laitue, essorez-la et cueillez-la en petits morceaux.

3. Coupez le hamburger et faites cuire au four pendant env. 2 minutes. Badigeonner les deux moitiés de beurre d'arachide. Coupez la poitrine de poulet en tranches. Étalez d'abord la laitue, puis les tranches de poitrine de poulet sur les moitiés inférieures du sandwich. Répartir les noix de cajou et les lanières de paprika sur le dessus, placer le couvercle sur le dessus. Couper au milieu, insérer 2 brochettes. Pour les "yeux", collez une tomate sur chaque brochette, formez avec 1 noisette de mayonnaise et 1 poivre noir chacun.

SANDWICHES AU POULET

Portions: 4

INGRÉDIENTS

- Confiture de prunes
- Sauce chili
- Carottes râpées
- mangue
- poitrine de poulet
- Vert coriandre
- Pain grillé

PRÉPARATION

1. Mélangez la confiture de prune avec la sauce chili.
Étalez-le sur du pain. Garnir de carottes râpées, de
mangue, de poitrine de poulet et de feuilles de
coriandre et couvrir.

SANDWICHES AU FROMAGE PIMENTO

Portions: 12

INGRÉDIENTS

- 1 petit poivron rouge (env.170 g)
- 1 branche de céleri (environ 80 g)
- 1 bouquet de coriandre fraîche
- 150 g de cheddar
- 200 g de fromage à la crème
- 50 g de mayonnaise
- 2 cuillères à café de poudre de paprika doux (fumé)
- 0,5 cuillère à café de cumin moulu (cumin)
- sauce tabasco verte
- sel
- poivre noir du moulin

- 12 tranches de pain grillé

PRÉPARATION

Couper en quartiers et nettoyer les poivrons. Placer la peau vers le haut sur une plaque à pâtisserie et rôtir sous le gril pendant environ 10 minutes jusqu'à ce que la peau commence à bouillonner. Laisser cuire à la vapeur dans un sac de congélation pendant 5 minutes, retirer et décoller la coquille. Mettez la pulpe dans un grand récipient et réduisez-la en purée avec le mélangeur.

Coupez le céleri en petits dés. Cueillez les feuilles de coriandre et coupez-les finement. Râpez finement le cheddar. Mélangez le fromage à la crème avec la mayonnaise, la poudre de paprika et le cumin. Incorporer le cheddar et suffisamment de purée de paprika pour faire une crème à tartiner. Incorporer le céleri coupé en dés et les feuilles de coriandre. Assaisonner de Tabasco, sel et poivre. Couvrir et réfrigérer jusqu'au service.

Étalez la crème au fromage d'environ 1 cm d'épaisseur sur 6 tranches de pain grillé et recouvrez d'une deuxième tranche de pain grillé. Ensuite, coupez les bords et coupez les sandwichs en deux dans le sens de la longueur. Servir avec des branches de céleri fraîches si vous le souhaitez.

PAINS AUX OEUFS BROUILLÉS AVEC BASILIC ET BACON TARTINÉ

Portions: 6

INGRÉDIENTS

- 4 tranches de bacon (tranchées finement petit-déjeuner bacon)
- 1 oignon nouveau
- Feuilles de 1 bouquet de basilic
- 300 g de fromage à la crème
- Sel et poivre noir du moulin
- 4 œufs (classe M)
- 50 ml de lait
- 1 cuillère à soupe de beurre
- 1/2 bouquet de radis

- 60 g de roquette
- 12 tranches épaisses de pain au levain

PRÉPARATION

Faites frire le bacon dans une poêle sans gras des deux côtés à feu moyen jusqu'à ce qu'il soit croustillant. Égoutter sur du papier absorbant, puis émietter finement. Nettoyez les oignons nouveaux, retirez le vert foncé et coupez le reste en fines rondelles. Hachez finement le basilic. Mélanger les deux avec le fromage à la crème et le bacon jusqu'à consistance lisse. Assaisonnez avec du sel et du poivre.

Fouetter ensemble les œufs, le lait, le sel et le poivre. Faites chauffer le beurre dans une poêle antiadhésive et faites-y revenir les œufs pour faire des œufs brouillés. Ensuite, laissez-le refroidir.

Nettoyez les radis et coupez-les ou coupez-les en fines tranches. Triez la fusée et raccourcissez les tiges.

Étalez le fromage à la crème sur le pain. Couvrir la moitié des tranches avec 1/4 d'œufs brouillés, roquette et radis, déposer le fromage à la crème sur les tranches restantes. Couper le pain en deux si nécessaire, envelopper de papier sulfurisé et fixer avec de la ficelle de cuisine. Transportez les pains aux œufs brouillés aussi frais que possible.

SANDWICH AU RÔTI DE BOEUF ET RADIS

Portions: 4

INGRÉDIENTS

- 1 cornichon
- 1 bouquet de ciboulette
- 1 bouquet de persil
- 100 g de crème sure
- 2 cuillères à café de jus de citron
- 4 cuillères à café de moutarde douce
- sel
- poivre
- poivre de Cayenne
- 8 feuilles de laitue
- 100 g de radis
- 8 tranches de pain grillé

- 40 g de beurre mou
- 20 fines tranches de rosbif

PRÉPARATION

1. Coupez le concombre en dés très finement. Lavez et tamponnez les herbes. Coupez la ciboulette en rouleaux. Hachez finement le persil. Mélangez le concombre, les herbes, la crème sure, le jus de citron, la moutarde, le sel et le poivre de Cayenne. Lavez les feuilles de laitue et secouez-les. Coupez les radis en fines tranches.

2. Badigeonnez les tranches de sandwich de beurre. Couvrir 4 tranches de pain grillé avec la laitue, le rosbif et les tranches de radis. Étalez la sauce moutarde et herbes sur le dessus. Remettez la laitue sur le dessus, puis garnissez les sandwichs d'une tranche de pain grillé à chaque fois. Ensuite, coupez-les tous en diagonale et servez.

SOUPE À L'AVOCAT FROIDE ET SANDWICHE AUX CREVETTES

Portions: 4

INGRÉDIENTS

- 200 g de crevettes en saumure
- 2 petits oignons nouveaux
- 40 g de pistaches grillées et salées avec coque
- 225 g de yaourt à la crème grecque
- sel
- poivre de Cayenne
- 8 tranches de pain grillé
- 6 tiges de basilic
- 2 tiges de menthe
- 1 citron bio

- 300 g d'avocat mûr
- 1 l de babeurre, froid
- poivre noir du moulin
- 4 cuillères à soupe d'huile d'olive

PRÉPARATION

Égouttez bien les crevettes et séchez-les avec du papier absorbant. Nettoyez les oignons verts et coupez-les en fines rondelles. Retirer les pistaches de la coquille et les hacher grossièrement, mélanger avec du yaourt et assaisonner avec du sel et du poivre de Cayenne. Badigeonner le pain grillé de yogourt, saupoudrer d'oignons nouveaux. Répartissez les crevettes sur 4 tranches, recouvrez-les du reste du pain grillé. Enveloppez le pain hermétiquement dans un film plastique, laissez refroidir pendant 45 minutes.

Pendant ce temps, cueillez les feuilles d'herbe et hachez-les environ 2/3. Râpez finement le zeste de citron, pressez le citron. Couper l'avocat en deux, retirer le noyau et retirer la pulpe de la peau. Purée finement avec le babeurre, les herbes hachées, 3 cuillères à soupe de jus de citron et le zeste, assaisonner de sel et de poivre de Cayenne.

Ecorcer les sandwichs et les couper en deux. Hachez finement les herbes restantes. Saupoudrer la soupe d'herbes et de poivre, arroser d'huile d'olive. Servir avec les sandwichs.

SANDWICHES DE BOEUF RÔTI

Portions: 8

INGRÉDIENTS

- 1 concombre
- quelques feuilles de salade frisée
- 8 tranches de pain de mie
- 8 cuillères à soupe de rémoulade
- 1 lit de cresson
- 250 g de rosbif tranché finement
- sel
- poivre du moulin

PRÉPARATION

1. Épluchez le concombre comme vous le souhaitez et coupez-le en tranches. Lavez les feuilles de laitue et séchez-les.

2. Tartiner les tranches de sandwich de sauce tartare. Garnir 4 d'entre eux de feuilles de laitue, de tranches de concombre, de cresson et de rosbif. Saupoudrez de sel et de poivre. Placez les 4 tranches de sandwich restantes sur le dessus, puis coupez le pain en deux en diagonale.

3. Placez les moitiés de sandwich dans des sacs en parchemin pour y accéder et placez les sacs côte à côte dans des boîtes. Vous ne devriez pas pouvoir basculer.

MACCHIATO AU HOMARD ET SANDWICHES AU HOMARD

Portions: 4

INGRÉDIENTS

- 1 homard (900 g, laissez le marchand cuire et lâcher, emportez des coquilles blindées avec vous!)
- 4 cuillères à soupe de mayonnaise
- 4 tiges d'aneth, hachées finement
- un quart de cuillère à café de zeste de citron bio finement râpé
- poivre de Cayenne
- sel
- 4 tranches de pain de mie
- 2 feuilles de laitue, coupées en lanières
- 40 g de beurre

- 2 échalotes, coupées en dés
- 100 g de verdure, coupée en dés
- 1 cuillère à soupe de concentré de tomate
- 3 cuillères à soupe de cognac
- 800 ml de fond de homard
- 260 ml de crème
- 1 cuillère à soupe de graines de sésame noir, grillées
- poudre de curry

PRÉPARATION

Coupez la chair de homard en petits dés. Mélanger avec la mayonnaise, la moitié de l'aneth et le zeste de citron. Assaisonner de poivre de Cayenne et de sel.
Badigeonner les tranches de pain et étendre la laitue dessus. Pliez 2 tranches ensemble, enveloppez-les bien dans un film plastique et réfrigérez pendant 2 heures.

Hachez les coquilles de homard (sans abats) et faites-les rôtir dans une casserole avec le beurre. Faites d'abord rôtir les échalotes et les légumes verts, puis faites brièvement rôtir la pâte de tomates et déglacez au cognac. Ajouter le bouillon et 200 ml de crème et assaisonner le tout avec du sel et du poivre de Cayenne. Laisser mijoter 20 minutes, puis passer à travers une passoire fine.

Mélangez le reste de l'aneth avec les graines de sésame. Écorcer les sandwichs, les couper en deux et les plonger dans le mélange à l'aneth sur 2 côtés. Versez la soupe dans des tasses. Fouettez le reste de la crème, saupoudrez dessus, saupoudrez de curry. Servir des sandwichs.

SANDWICHES DE POITRINE DE CANARD ET CONFITURE D'OIGNON

Portions: 8

INGRÉDIENTS

- 300 g de magret de canard
- 2 oranges
- 3 gousses d'ail
- 2 cuillères à soupe de sauce soja
- 300 g d'oignons
- 5 cuillères à soupe d'huile
- 1 cuillère à soupe de beurre
- 1 cuillère à soupe de graines de coriandre
- 1 anis étoilé
- 2 cuillères à soupe de sucre de canne brut

- 80 ml de vinaigre balsamique
- sel
- poivre noir du moulin
- 1 petit radicchio
- 8 tranches de pain grillé
- 8 cuillères à soupe de mayonnaise

PRÉPARATION

Retirez la peau du filet de magret de canard à l'aide d'un couteau bien aiguisé. Pressez les oranges. Épluchez les gousses d'ail et écrasez-les légèrement. Mélangez le jus d'orange et l'ail avec la sauce soja. Couvrir la viande et laisser mariner au moins 12 heures, de préférence toute la nuit.

Épluchez les oignons, coupez-les en deux et coupez-les en lanières. Faites chauffer 2 cuillères à soupe d'huile et de beurre dans une casserole. Faites revenir doucement les oignons pendant 5 minutes. Ajouter les graines de coriandre et l'anis étoilé, faire revenir encore 3 minutes. Saupoudrer les oignons de sucre, caraméliser brièvement puis déglacer au vinaigre balsamique. Laisser mijoter les oignons avec le couvercle pendant 25 minutes. Assaisonner la confiture d'oignon avec du sel et du poivre et laisser refroidir.

Préchauffez le four à 200 degrés (convection 180 degrés). Retirez le magret de canard de la marinade et séchez-le avec du papier absorbant. Faites chauffer 3 cuillères à soupe d'huile dans une poêle. Faites revenir les filets de magret de canard env. 3 minutes de chaque côté. Terminez ensuite la cuisson au four préchauffé pendant 12 à 15 minutes. Laisser refroidir.

Épluchez les feuilles de radicchio. Badigeonner les tranches de pain grillé de mayonnaise, couper le magret de canard en fines tranches. Déposer d'abord le radicchio, puis le magret de canard et enfin la confiture d'oignon sur quatre des tranches de pain grillé, terminer par une seconde tranche et couper en deux dans le sens de la longueur.

SANDWICH DE CHÈVRE GOUDA À LA CAROTTE

Portions: 8

INGRÉDIENTS

- 3 grosses carottes
- 1 citron vert bio
- 2 cuillères à soupe de miel
- 2 cuillères à soupe d'huile
- sel
- poivre noir du moulin
- 150 g de crème sure
- 1 bouquet de basilic
- 1 piment rouge
- 8 tranches de pain grillé complet
- 8 tranches de gouda de chèvre
- 2 cuillères à soupe de beurre

PRÉPARATION

Épluchez et râpez grossièrement les carottes. Râper finement le zeste de citron vert, presser le jus. Fouetter le jus de citron vert et 1 à 2 cuillères à café de zeste de citron vert avec le miel et l'huile. Ajouter les carottes râpées et assaisonner de sel et de poivre. Laissez infuser environ 20 minutes.

Hachez grossièrement les feuilles de basilic. Mettez 2 cuillères à soupe de crème sure dans un grand récipient et réduisez en purée finement avec un mélangeur. Incorporer le reste de la crème sure et assaisonner de sel et de poivre.

Épépiner le piment, hacher finement et incorporer aux carottes. Badigeonner les tranches de pain grillé de crème sure au basilic. Garnissez-en quatre de gouda de chèvre et de relish aux carottes et recouvrez chacun d'une tranche de pain grillé. Faites chauffer le beurre par portions dans une poêle. Sandwiches de chaque côté croustillant, faire frire pendant environ 2 minutes, puis couper en deux dans le sens de la longueur et servir immédiatement.

SOUPE AU CONCOMBRE ET AUX POMMES AVEC SANDWICHS AU CARI

Portions: 4

INGRÉDIENTS

- 400 g de pommes vertes (Granny Smith)
- 2 concombres (750 g)
- 2 cuillères à soupe de sésame noir (alternativement: graines de sésame légères)
- 80 g de fromage à la crème
- 1 cuillère à soupe de curry en poudre (doux)
- 4 tranches de pain grillé
- 250 g de crevettes royales sans tête (pelées)
- 250 ml de bouillon de légumes
- 50 g de pourpier

- 40 g de cacahuètes au wasabi
- 2 cuillères à soupe de jus de citron
- sel de mer fin
- Presse-agrumes

PRÉPARATION

Épépiner et hacher grossièrement les pommes. Coupez le concombre en quatre avec la peau et les graines dans le sens de la longueur. Pressez les deux dans le presse-agrumes, mettez le jus au réfrigérateur.

Faites griller les graines de sésame dans une poêle sans matière grasse. Assaisonner le fromage à la crème avec du curry. Badigeonnez les tranches de pain avec, pliez-en deux chacune et enveloppez-les bien dans un film plastique pour les faire passer. Mettez dans un endroit frais.

Coupez les queues de crevettes en morceaux d'environ 3 cm. Porter à ébullition le bouillon de légumes, ajouter les crevettes, retirer du feu et laisser mijoter 4 minutes. Égouttez les crevettes et laissez-les refroidir. Raccourcir les tiges de pourpier, laver les feuilles et essorer. Hachez grossièrement les cacahuètes au wasabi. Assaisonnez le concombre et le jus de pomme avec du jus de citron et du sel.

Écorcer les sandwichs et les couper en quatre morceaux. Trempez les bords dans les graines de sésame. Servir la soupe avec des crevettes, des feuilles de pourpier et des cacahuètes au wasabi. Servir avec des sandwichs.

ROULEAUX DE FROMAGE DE CHÈVRE ET FIGUES

Portions: 2

INGRÉDIENTS

- 1 cuillère à café de grains de poivre vert marinés
- 3 cuillères à soupe de rouleaux de ciboulette
- 100 g de fromage à la crème de chèvre
- 2 figues
- 2 rouleaux de tournesol à grains entiers
- 2 grandes feuilles de salade de radicchio
- 6 tranches de jambon de cœur très fines
- 2 cuillères à café de confiture de canneberges

PRÉPARATION

Assécher les grains de poivre, hacher finement, mélanger avec la ciboulette et le fromage de chèvre.

Coupez les figues en fines tranches. Couper le petit pain en deux à l'horizontale, étendre le couvercle et la base de crème au chèvre. Couvrir les moitiés inférieures de laitue et de jambon. Étalez les figues sur le dessus, mettez 1 cuillère à café de confiture sur chacun, mettez le couvercle sur le dessus.

ROULEAUX DE JAMBON À LA CRÈME À LA MOUTARDE

Portions: 8

INGRÉDIENTS

- 4 œufs (classe M)
- 1 paquet Mélange d'herbes TK-8
- 150 g de fromage à la crème granuleux
- 150 g de crème sure
- 3 cuillères à soupe de moutarde de Dijon
- sel
- poivre
- 1 laitue
- 8 petits pains complets, mélangés
- 8 tranches de jambon fumé

PRÉPARATION

Oeufs durs. Mélanger les herbes, le fromage à la crème, la crème sure et la moutarde, assaisonner de sel et de poivre. Peler et trancher les œufs froids. Nettoyez la laitue, ramassez-la, lavez-la et essorez-la.

Couper le pain en deux dans le sens de la largeur, badigeonner toutes les moitiés de crème à la moutarde. Couvrir les moitiés inférieures de laitue, 1 tranche de jambon et d'oeuf. Placez les moitiés supérieures sur le dessus. Envelopper hermétiquement dans un film plastique pour le transport.

TOAST ÉPICÉ À L'AVOCAT

Portions: 2

INGRÉDIENTS

- 1 pc   avocat
- 1 pc   gousse d'ail
- 0,5 pièce   Jus de citron vert)
- 1 cuillère à soupe   huile d'olive
- 1 prix Poudre de paprika
- 1 prix poivre
- 1 prix sel
- 0,5 Fédération   ciboulette
- 2 pièces   tomates
- 4 Schb   Pain de grains entiers
- 0,5 pièce   oignon

PRÉPARATION

Pour la crème d'avocat, retirez la chair verte de l'avocat de la coque et hachez-la bien avec une fourchette dans un petit bol jusqu'à ce qu'elle soit lisse.

Hachez finement la tomate, l'oignon et l'ail et mélangez avec l'avocat. Presser le jus de citron vert et affiner la crème avec du sel, du poivre, du paprika et, si vous le souhaitez, avec une épice mexicaine.

Maintenant, faites dorer légèrement le pain de blé entier dans une poêle ou avec le grille-pain et arrosez d'huile d'olive. Mettez la crème d'avocat sur les tranches de pain et étalez bien. Enfin, hachez finement la ciboulette et saupoudrez-la.

SANDWICH AU PAIN VEGAN OIGNON

Portions: 1

INGRÉDIENTS

- 1 cuillère à soupe   Moutarde de Dijon
- 5 Bl   salade
- 0,25 pièce   Concombre
- 2 pièces   Petits pains au thym et à l'oignon
- 50 GRAMMES   Tofu, nature
- 1 pc   Tomate (grosse
- 1 cuillère à soupe   Purée de tomates

PRÉPARATION

Préparez les rouleaux de thym et d'oignon selon la recette de base.

Réduisez en purée la moutarde à gros grains avec le tofu râpé et la purée de tomates. Étalez sur les rouleaux.

Recouvrez les rouleaux de laitue, de concombre et de tomates fraîches et dégustez.

TOAST AUX ÉPINARDS À LA RICOTTA

Portions: 2

INGRÉDIENTS

- 250 G Feuilles d'épinards
- 1 pc gousse d'ail
- 1 cuillère à soupe huile
- 100G ricotta
- 1 prix sel

PRÉPARATION

Épluchez et hachez finement la gousse d'ail.

Faites revenir brièvement l'ail avec un peu d'huile dans une casserole puis ajoutez les feuilles d'épinards. Cuire

le tout à la vapeur pendant environ 5 minutes.
Assaisonnez avec du sel.

En attendant, faites griller les tranches de pain dans un
grille-pain.

Disposer les tranches de pain sur des assiettes,
déposer les épinards dessus et saupoudrer de ricotta.
Profitez-en encore tiède.

SAUCE SANDWICH

Portions: 1

INGRÉDIENTS

- 2 pièces   Cornichons
- 80 G   Fromage Frais
- 120 G   Mayonnaise
- 70 G   Pickles Mixex, verre
- 1 prix poivre
- 1 prix sel
- 1 TL   Pâte d'anchois
- 1 TL   Sauce worcester
- 2 TL   Jus de citron
- 1 prix du sucre

PRÉPARATION

Égouttez bien les cornichons et les cornichons
mélangés. Hachez très finement tous les légumes.

Mélanger la mayonnaise avec le fromage à la crème jusqu'à consistance crémeuse et incorporer les légumes hachés.

Assaisonner la sauce avec la pâte d'anchois, le jus de citron, la sauce Worcestershire, le sel, le poivre et le sucre. Placer au réfrigérateur jusqu'au moment de servir.

SANDWICH AUX CHAMPIGNONS

Portions: 4

INGRÉDIENTS

- 1 Fédération basilic
- 4 pièces champignons bruns
- 4 Schb Pain bruschetta
- 50 GRAMMES beurre
- 150 G fromage
- 2 pièces Knobli
- 2 entre Romarin
- 2 pièces Échalotes
- 2 entre thym
- 4 pièces tomates

PRÉPARATION

Hachez finement les oignons, l'ail, le thym et le romarin. Couper les champignons en quartiers et trancher finement les tomates. Coupez le fromage en tranches.

Faire revenir les oignons, l'ail et les champignons dans une poêle avec du beurre et ajouter le romarin et le thym. Assaisonner au goût avec du sel et du poivre.

Hachez finement le basilic. Mettez 2 tranches de pain devant vous et ventilez-les avec les tomates. Versez le basilic dessus et assaisonnez de sel et de poivre. Ensuite, garnissez-les de fromage et étalez le mélange de champignons sur le dessus. Couvrez-les avec les deux tranches de pain restantes et appuyez légèrement dessus.

Griller les sandwichs dans une grille à sandwich jusqu'à ce qu'ils soient dorés.

Couper en deux et servir le sandwich aux champignons.

GÂTEAU AU PAIN NOIR ÉPICÉ

Portions: 1

INGRÉDIENTS

- 250 G beurre
- Paquet de 2   Fromage Frais
- 1 Fédération   Peterli, haché
- 1 prix   Sel poivre
- 1 Bch   crème aigre
- 200 G Jambon, coupé en petits morceaux
- 1 Fédération   Ciboulette, hachée
- Paquet de 2   Pain noir
- 1 cuillère à soupe   moutarde
- 1 pc   Oignon, haché finement

PRÉPARATION

Couvrir un moule à charnière de pain brun émietté et presser un peu.

Mélanger le beurre, la moutarde, le jambon et l'oignon, assaisonner de sel et de poivre. Étalez le mélange sur la base de pain noir.

Remettez du pain noir sur le mélange jusqu'à ce qu'il soit complètement couvert.

Mélanger la crème sure, le fromage à la crème, le persil et la ciboulette. Répartissez soigneusement le mélange sur la couche de pain noir.

Couvrir avec le reste de la chapelure noire en guise de couverture. Refroidissez le gâteau pendant quelques heures pour qu'il puisse mieux cuire.

CONCLUSION

Il s'agit d'un plat qui est également sain. Champignons aux crevettes, poisson grillé à la laitue, crème de courgettes, filet de poulet grillé ou cuit au four aux épices, œufs durs au thon, etc. L'association des protéines et des légumes est de retour le soir. Pour le dessert, vous pouvez avoir un yogourt faible en gras.

Parfois, vous pouvez alterner les repas avec le dîner. Donc, si vous laissez le sandwich pour la nuit, vous pouvez déguster des pâtes ou des pommes de terre avec du poisson et de la viande pour le déjeuner, comme mentionné précédemment. Bien sûr, sans oublier une bonne salade ou un bon plat de légumes.

Il est vrai qu'elle n'impose pas de quantités et qu'elle est remise en question par beaucoup comme une méthode définitive et saine. Mais en le gardant un certain temps, en alternant avec ces plats plus sains,

cela nous aide dans ces moments où le travail nous

empêche de manger comme nous le voulons.

Lightning Source UK Ltd.
Milton Keynes UK
UKHW021126110521
383520UK00001B/122